La marque BÉBÉ CADUM est reproduite avec l'aimable autorisation de la Société Cadum

ISBN 978-2-211-09077-3
Première édition dans la collection « lutin poche » : janvier 2008
© 2006, l'école des loisirs, Paris
Loi numéro 49 956 du 16 juillet 1949 sur les publications
destinées à la jeunesse : mars 2006
Dépôt légal : mai 2011
Imprimé en France par Mame à Tours

Stephanie Blake

BÉBÉ CADUM®

lutin poche de l'école des loisirs
11, rue de Sèvres, Paris 6e

Simon
vient de construire une
très,
très,
très
GRANDE
fusée.

BADABOUM!
fait
la
fusée.

« **CHUUUUUT !**»
dit la maman de Simon.
«Tu dois jouer
plus tranquillement,
nous avons
un tout
petit
bébé
dans la maison.»

**Simon
va voir le bébé
dans sa chambre
et dit :
« Rentre chez toi,
espèce de bébé Cadum. »**

Et tout à coup,
Simon se pose
MILLE
questions.

« Quand est-ce qu'il retourne à l'hôpital, le bébé Cadum ? » demande Simon.
« Mais enfin, Simon, c'est ton petit frère, il est là pour toujours, tu le sais bien ! »

« Pour toujours ?! »
« Oui, pour toujours,
mon petit lapin. »

« Bonne nuit, mon petit lapin »,
lui dit sa maman.
« Bonne nuit, mon petit lapin »,
lui dit son papa.
« Bonne nuit », répond Simon.
« Maman, tu ne m'as pas fait de baiser. »
« Mais si, mon petit lapin. »
« Embrasse-moi encore ! »
supplie Simon.
Alors,
sa maman l'embrasse encore
et puis
son papa l'embrasse encore.
Simon ferme les yeux,
mais il n'arrive pas
à s'endormir.
Il reste éveillé dans son lit
pendant de longues heures…

Et puis, il commence
à penser au loup.
Au
GROS
méchant
loup.
Il pense à des grands loups et
à des petits loups,
à des papas loups et
à des mamans loups,
à des sœurs loups,
à des frères loups,
à des bébés loups.
Tout à coup,
Simon est sûr et certain
d'être entouré
de milliers de loups…

Mille millions de
**GROS
MÉCHANTS
LOUPS**
qui vont manger Simon.

Simon court
jusqu'à la chambre
de ses parents.
Il reste à côté du lit
sans faire de bruit.
«Va te recoucher,
mon petit lapin»,
dit son papa.
«Je ne peux pas,
il y a des loups
dans ma chambre. Est-ce que
je peux dormir avec vous?»
demande Simon.
«IL N'EN EST
PAS QUESTION!»

Dans le couloir,
Simon entend
de drôles de bruits,
des
GAZOUILLIS
des
GUILIGUILIS
des
BLABLUBO
et des
BLABLUBI.

« BÉBÉ CADUM ! »

dit Simon.

«BLAGLIBULIDADUM CACABOUDIN DUM!»
répond le petit frère de Simon.

« Viens, mon petit bébé Cadum !
Tu ne peux pas rester ici,
il y a des
GROS
MÉCHANTS
LOUPS
dans la maison.
Viens,
je vais te protéger
mon
TOUT
TOUT
TOUT
petit
bébé Cadum. »

Et
c'est
exactement
ce
qu'il
fit.